RE : 검은 장미

RE : 검은 장미

발　행 | 2024년 2월 20일
저　자 | 하연
펴낸이 | 한건희
펴낸곳 | 주식회사 부크크
출판사등록 | 2014.07.15.(제2014-16호)
주　소 | 서울특별시 금천구 가산디지털1로 119 SK트윈타워 A동 305호
전　화 | 1670-8316
이메일 | info@bookk.co.kr

ISBN | 979-11-410-7295-7

www.bookk.co.kr

RE : 검은 장미

하연

CONTENTS

과거의 모자란 사랑을 털어내고 신탁하여
새롭게 검은 장미를 냈습니다.
그 누구에게도 바치지 않고 오로지 독립적인 자아에게
바칩니다.

검은 장미

나의 몸에서는 음산한 흙 내음이 났다.
곧 피어날 무언가가 그려졌다.

내가 깊은 암흑에 빠지는 것을 막기 위해 진흙을 끌어모아 단단한 벽을 세우면, 늘 곁에서 투포환을 던지는 사람들이 있었다.

나의 치부를 드러내며 입꼬리가 올라가는 동족들 덕에 걸음이 점차 빨라졌다.

맹목적인 죽음이 나를 태초로부터 아름답게 만들어준다, 생각하게 된 날이었다.

내가 살 수 있는 시간이 5시간밖에 남지 않았다면, 5시간을 앞으로 당겨 죽을 것이다.

너는 생각이 심해보다 깊어서 항상 무슨 생각을 하고 있는지 알 수가 없었다.

산소통 하나 없이 빠져드는 심해에서 앞이 보이지도 않는데 허우적거렸다.

빛을 따라가면 초롱아귀가 입을 벌리고 있었다.

전등을 끄기만 해도 울었다. 귀신이 나올 것 같아서. 나의 옷장이나 침대에서, 창문에서, 곳곳에 귀신이 있을 것 같았다.

서늘한 기분이 들면 조용히 귀를 기울이고 있다가, 쳐다봤다.

아무것도 없으면 안도했다.

귀신보다도 그의 얼굴이 내가 아는 얼굴일까, 두려웠다.

앞으로 딱 5년만 더 살고 싶어. 반쯤 잠겨 익사하는 중이니, 5년 뒤에는 물거품이 될 게 분명하니까.

익숙하지 않은 감정들이 매몰차게 콧잔등을 스치고 지나가면 항상 마지막으로 심장만 저릿하게 아팠다. 감정을 정의해야 인지할 수 있었고, 인지해야 깨달음으로 느낄 수 있게 되는. 조금 무디면서 동시에 예민한 나는, 한꺼번에 모든 감각을 동강동강 잘라내는 이 무시무시한 감정을 알 수가 없었다.

얼굴이 붉어지면서 열이 퍼져 오르고, 따듯하다 못해 뜨거운 기분이 올랐다. 화가 난 건 아니었고, 아픈 것과 비슷했다. 온몸이 아픈 것. 소리가 너무나 잘 들렸고 손끝이 욱신욱신. 잇몸에 소금을 잔뜩 뿌린 것처럼 부어오른 듯 느껴졌다.

목구멍은 자꾸만 여러 단어가 튀어나오다 엉켜 막혔다. 멀쩡한 문장이 구사되지 않고 절뚝거리는 절름발이 문장만 겨우 내뱉었다. 평소에 높낮이 차이도 없던 목소리는 뜬금없이 공기가 가득 찬 것 같았고 쉰 소리가 나는 것 같기도 했고 열이 오른 것 때문에 유독 낮은 것 같기도 했다.

모든 신경이 곤두세워졌지만, 시선은 한 곳만 향했다.

도망칠 수 없이 한 곳만.

발걸음은 도망칠 곳을 향했지만, 감각 없는 손은 이미 무언가를 붙잡고 있었다.

도망칠 곳은 도망갈 곳으로 되어 버렸고.

사라지는 것들은 소리도 향기도 흔적도 없이 바스러진 재가 되어 버렸다. 어떤 것도 예고되지 않았다.

유전이라는 불가항력인 단어에 떠밀려 흐르고 있을까 어떠한 질병의 핏줄이 만약 나의 뇌 내에도 숨어들고 있다면, 죽어가면서도 죽지 않는 불멸의 생각은 과연 유전의 탓인가, 무전의 탓인가.

잃어버린 것들은 물을 다 담고자 꼭 쥐고 있던 나의 손 틈새로 빠져나간 물줄기처럼 사라지는 감촉조차 느껴지지 않았다.

손을 열어보니 아무것도 없었다.

생명의 엇박자를 좋아해
멀어질 때 가까워지고
가까워질 때 멀어지는
엮여있는 목숨줄의 실뜨기

젓가락은 손쉽게 풀고
거미줄에서는 한참이 걸리고
함정을 설치하면 쩔쩔매다
결국 엉켜 버린 채 묶이고 마는

그렇게 풀어지지 않는 실타래가 한가득이야
남들은 가위로 잘라서 어딘가에 쓰던데
아직도 손 탄 것들은 기억이 떠오르는 습관이 있어서 버리지 못해
줄줄이 엮어 봐도 목에 걸지 못해

그걸로 누가 내 목을 조를지 어떻게 알아

사랑을 하면 조금 더 나은 사람이 된 것 같은 느낌이 들었다. 누군가를 사랑한다는 감정 자체를 아무나 느끼지 못하리라 생각했기 때문에

404동 복도형 아파트에서 끝에 달린 1808호로 향하고 한참 동안 난간 밖을 바라봤다. 18층 아래 가득하게 주차된 자동차들의 번호판을 나열해 보기도 하고 음산한 놀이터의 그네를 보기도 하고 조용하게 내려앉은 도로 위 깜빡이는 신호등을 쳐다보며 눈물을 참기도 했다. 소리 없는 피아노를 두들기듯 난간에서 연주하며 몇 번이고 투신했다. 몇 번이고 몇 번이고.

새벽 다섯 시의 18층은 축축하고 포근했다. 아무도 보이지 않았고 가로등이 켜져 있다가 해가 뜨기 직전 찰나 꺼지는 그 순간의 정전은 야릇했다.

혓바닥 아래 가둬 둔 이름은 아직도 어금니에서만 맴돌고 있어. 처음 그 이름이 송곳니를 뚫고 코에 번졌을 때 터뜨려진 공기의 침묵을 너도 느꼈을지 생각해.

모두의 사랑이 핑크빛으로 벚꽃을 찾을 때 우리의 사랑은 진한 녹음의 청록빛을 내고 푸르른 나무가 가득 솟은 사이 보이는 희미한 바다를 찾았던.

사랑니는 아직도 자라지 않았어.
통증도 기미도 보이질 않아.

추락하는 것들을 안아주려고 늘 절벽 밑을 고수해요
나는 투박하고 무디고 엉성해서 버틸 수 있으나 그들에게 추락이 필수조건이라고 해도 내가 밑에서 안아주고 받아준다면 조금은 덜 다칠 수 있지 않을까 싶은 생각에

품을 탄 몇 아이는 터를 떠났고 생사를 몰라요
더는 추락을 두려워하지 않는지
아니면 다친 적이 없어서 추락을 두려워하는지

도움을 줬을지
공포를 줬을지

비난은 언제 들어도 비수가 되더군요

어딘가 공허한 마음이 명치를 뚫고 입김으로 나온다.

추위로 인한 입김이 아닌 텅 비어 하늘에 그림을 그릴 수 있는 투명한 입김,

누군가를 향한 편지를 차마 적을 수 없어 입 안에 몇 번이고 씹고 씹어서 삼키지도 뱉지도 못한 채 혀 아래 숨겨두는 몇 장의 발신자 불명 편지

발끝이 차가워지고 반대로 머리카락부터 열이 오른다.

손끝에 온기가 느껴지지 않게 된 지 오래다.

닿아오는 모든 손길에 두려움을 넣는다.

혀 아래 뭉쳐 있는 독극물을 삼킬 수 있을까.

뱉어낼 수는 있을까.

겨우 장전된 리볼버를 겨눈다. 단 한 번의 기회를 사격한다. 어딘가를 관통해도 곧 꽃이 피어난다. 녹슨 리볼버를 비껴가 난사되는 화살촉. 곳곳에는 복사꽃이 터져 나온다. 악 소리 하나 없이 두 눈은 나를 응시하고 있다. 어떠한 감정도 담겨 있지 않다. 이미 시든 그 자체에서 복사꽃만 하염없이 자라난다.

넝쿨은 찢어졌다.

목에 둘러진 채.

계절을 삼키면 비강에서 어우러지는 향들이 있다. 막 시작된 겨울의 숨결같이 아찔하게 차가운 향.

온몸 구석구석을 감도는 향은 차곡히 쌓여 사람의 계절을 만든다.

내 폐에는 눈이 가득 쌓일 준비가 된 소나무 하나가 심어졌다.

호흡할 때마다 숲 냄새가 났다.

스스로 놓아버린 게 많은 사람은 남몰래 두려움을 품고 있다. 이타적인 것처럼 보이지만 지독히 이기적인.

어쩌면 공평한 죽음이 마지막 구원일지도 모른다고 생각하면서 주변에 누군가가 그 방향으로 흘러가려 하면 내 머리카락을 동아줄로 만들어 그들을 끌어올렸다.

모순적이다.

눈이 올 때는 눈싸움을 했다. 가을에는 쌓인 낙엽으로 그림을 그렸고 여름에는 많은 발자국이 박힌 모래사장 위 이름을 끄적였다. 봄에는 흩날리는 벚꽃잎을 잡으며 떨어지는 것을 한꺼번에 낚으면 소원이 이루어진다는 둥 시시콜콜한 얘기를 나누었다.

비로소 칼이 서로를 향하고 있는 걸 알았을 때 그 모든 칼침을 훔쳐 안고 떠나버렸다.

나는 그런 것에 박혀도 살 수 있었고 그들은 나약해 스치기만 해도 치명상을 입을 거라고 생각했기 때문에

눈이 벚꽃잎처럼 떨어지고 있다.

봉숭아 물은 모두 빠져버렸는데.

골무를 끼지 않은 채 바지를 엉성하게 수선할 때면 꼭 두 번씩은 바늘에 찔리고는 했었는데, 어쩌면 내 삶의 수선 중 나의 바늘이 된 건 너였을지도 모르겠다.

누군가는 과거만 바라보며 미래를 등지는 나에게 패배자라고 말하고는 해. 과거에서 그만 빠져나올 때가 되지 않았느냐고, 그리고 너를 비난하는 사람도 나를 비난하는 사람도 여전히 도처에 있어.

점점 네가 잊히고 있어.
잊고 싶지 않아서 매일 생각하고 끄적여.

나의 모든 문장이 너로부터 파생되고 있어.

세상은 이렇게 넓은데

끝이 어딘지 알 수 없는 바다와 이름 없는 숲과 어디서 생겨난 건지 출처를 모르는 무명화, 어두컴컴한 미지의 것을 만날 수 있을지에 대한 설렘과 두려움을 블렌딩해 주는. 숨겨진 동굴과 어쩌면 지느러미가 잘린 상어의 무덤이 될 수도 있는 해저 동굴, 손으로 뭉치면 뭉쳐질까 헛된 희망을 품게 만드는 양떼구름과 비가 내리면 튀어나와 숨을 쉬는 작은 생명들까지.

보지 못한 것들이 많은데, 세상은 넓은데 나는 한없이 좁은 곳에 갇혀 있다.

삶의 항해사가 아닌 세상을 항해하는 자가 되고 싶다. 흔해 빠진 목적을 향해 달려가며 지치고 무너지다가 얻게 되는 험난한 바다 위 함선의 키를 잡은 선장이 아닌 강에서부터 시작해 가물치를 보다가 눈을 떠 보니 날치의 날갯짓을 보고 있는 돛단배의 이름 없는 선장이 되고 싶다.

지구가 둥글다면, 정말 저 바다를 일직선으로 항해했

을 때 다시 우리가 있던 곳으로 돌아올 수 있을까.

가만히 눈을 감는 순간은 아무것도 들리지 않는다.

잔잔한 심장박동의 난타와 점차 굴곡을 만들 수 없게 된 마디들,

이름 모를 아이가 소매를 붙잡는다.

섬찟할 정도의 무표정이지만 온몸이 젖어 있는 아이.

소매를 잡는 힘은 느슨해졌다가, 움켜쥐었다가, 다섯 손가락으로 소매를 뜯을 듯 잡았다가, 두 손가락으로 놓을 듯 잡았다가.

놓아주지 않는다

이름도 나이도 알 수 없는

나에게 자유를 줄 수 있느냐 물었다.

흐르기 시작한 작은 눈물은 멈출 생각 없이 차오르기 시작했다.

눈물이 흐르는 탁한 눈은 짝눈이었다.

메리는 집에 가는 방법을 잊어버렸다. 아니, 길을 잃었다. 발을 딛는 족족 덫에 걸려 발목은 성치 않았고 집의 문이 열려 있던 건 자꾸만 생각났다. 거실 작은 장식장 속 아끼는 것들이 눈앞에 맴돌았다. 처음으로 친구들에게 축하받은 생일날 받은 편지, 길에서 고양이가 물어다 준 나뭇가지, 사랑했던 그이가 만들어 준 그림책, 처음 받았던 명찰….

별거 아닌 것들이 재물보다 소중해진 이유는 혼자 존재하기 때문이었다.

메리의 발목이 부러져 기어가기 시작했을 때 하나둘 내밀어지던 손을 보고 메리는 입술을 짓이기며 기어갔다.

누군가의 무엇이든, 그것을 잡는 순간 메리는 집에 돌아갈 이유가 생기지 않기 때문이다.

메리는 혼자임으로 완벽한 무언가였다.

혼자임으로.

메리가 지나간 길에는

하나, 둘 . .

하나, 둘 . .

하나아, 두우울 . .

하, 나 ..

두우우우우울______

하, 나아아아 . ___

두, 우울 . _

우 우울 _ ___

우우울 ____

우

울

우리 생각보다 오래 살고 있지

종종 찾아오는 감기는 간호해 줄 사람이 필요할 정도로 드세게 앓다가 하루아침에 날아가 버리고는 해

우리는 만성 감기잖아

지금도 여전한 것 같아

그래도 조금은 나은 것 같다고 생각했어

나름대로 기침도 잘 막았고 재채기는 소리 없이 잘 흘려보내니까

아무도 모르게 감기를 달고 지내는 거

우리가 가장 잘하는 거잖아

어쩌면 우리는 서로의 숨결을 나누고 서로의 기침을 트이게 만들고 재채기 소리를 사랑해 줘서 조금 나아진 것 같은 착각을 느낀 걸 수도 있겠다

몇 시에 일어날 예정이야?

조금 덜 아프면 좋겠다

내일의 감기는 약해질까?

우리가 가진 감기는 타인의 힘을 빌리는 순간 더 심

해지는 걸 알면서도 또 실수했어
이번에도 내 실수야

언제쯤 통증 없는 달력을 볼 수 있을까
조용해지고 싶다는 생각이 끊이지 않는 요즘이야
아무래도 독감인 것 같지

언제 걸린 건지 모르겠는 작은 가시가 목을 관통해 있다.

선생님, 저 조퇴해야 할 것 같아요.

말하려는 순간 가시는 움직인다.

목소리가 나오지 않는다.

벙어리가 되어 버렸다.

불필요한 소음에 창밖을 보면 눈발을 맞으며 뛰노는 것들이 보인다.

동네 똥개들이 눈만 오면 혓바닥을 밑바닥까지 내밀고 뛰었는데,

침을 삼킬 때마다 가시가 덜걱거렸다.

매일 걷는 밤길은 늘 어두웠다.

걷는 발소리는 두세 개 정도

오늘은 하나만 들리는 날이었다.

왜인지 모르게 곧 가시가 없어질 것 같다는 생각이 들었다.

볼을 꼬집었다,

아픈 게 느껴졌다.

누군가는 필히 너를 거쳐 갔을 거야.

너의 부르튼 손을 움켜쥐었다가 떠난 자도 있을 테고, 너의 메마른 눈물을 하염없이 흐르게 만들었던 자도 있었겠지.

수없이 단편의 필름처럼 단출하게 그러나 때론 숨이 막히게 차지한 그 플랫폼의 사람들이 얼마나 너를 연명시키고 있는지.

살아있는 너를 생각하고 숨 쉬는 너를 생각하다가 너의 목숨줄을 이어와 준 자들에게 고마워하다, 원망하다, 질투하다, 또다시 너에게도 돌아와서 사랑하다….

퇴화하고 점차 도태되며 변질되는 사회에서 결국 그 끝은 너로 장식되길 바라고 있어

아직도 나는 덜 행복하고 더 우울하다

버려진 심장에 묻은 먼지를 탈탈 털어내고 미동 없는 물컹한 물체에 점차 입술을 맞추며 이름을 읊어주면 당장이라도 콩닥쿵 작은 북소리를 내기 시작할 것 같아

버려진 모든 것들은 죽었을까 새로워졌을까

그런 생각을 해
다시 태어나는 것들은 과연 행복할까

묵직한 숨소리가 자꾸만 장송곡으로 이어져

참혹한 비극 앞에서 무너지지 않을 수 있었던 이유는 말이죠.

한 번만 겪지 않을 거라는 걸 알고 있었기 때문입니다.

차오르고 타오르는 미물감은 종종 생명선을 드문드문하게 만듭니다.

종종 추적하게 내리는 비에 몸을 담그고 눈을 감는다. 축축해지는 몸을 보면서 젖어 무거워지는 생각들을 털어 건조대에 넌다.

몸은 건강하고 정신은 으슬으슬하다.
이것도 감기였던가.

짧고 굵게 살다가 제일 예쁜 바다에 빠져 익사

유서는 유리병에 넣어 같이 잠수

내 유서 줍는 사람이 임자

전 재산은 0원

유감입니다

미련이 없고, 살게 만드는 이유도 없어질 때
기약 없는 여행을 떠나고 싶다
난도질을 목적으로 하는 칼 하나만 구비한 채 하염없이 바다를 바라보고 싶다

그 깨끗한 바다에 조금이나마 악하게 남고 싶어서.

불온한 모태신앙.
당신을 미워하지만, 사랑하는 마음에 보내는
불온한 기도.

불온한 사랑, 불온한 마음, 불온한 신앙, 불온….

언니, 성경책 좀 그만 읽어요.

어차피 언니랑 나랑 입술 맞댄 그때부터
신은 우리를 버렸어.

구태여, 나를 기억할 필요는 없다. 그대로 말미암아 나는 사랑을 깨달았고, 죽음을 소망하니, 나는 그대를 기억해도 그대는 나를 기억할 필요가 없다.

사라진 것들이 제자리로 돌아오는 날에는 초승달이 반쯤 부서지기 시작하는 달밤이었다.

망령을 사랑하여 영결식을 치르는 자들의 향연으로 새벽의 저승이 요란해졌다.

발가락을 잘라다 던져놓으면 나를 찾아올 수 있지 않을까 생각했다.

나의 모든 구석구석을 사랑한 자니까.

잘려진 마디만으로도 찾아올 수 있지 않을까.

그들에게는 소란스러웠고, 나에게는 한없이 침묵이었다.

아무도 그 비명에 밖을 나가지 않았어

분명 잔잔하던 그네가 흔들렸고 물 고인 미끄럼틀에 파장이 생겼는데 그 누구도 그 비명에 한 발자국 내딛지 않았어

반쯤 없어진 몸으로 활보하는 그 여자가 대단하면서 역겨우면서 무서우면서

언제 그 여자의 손톱이 나를 향할지 몰랐기 때문에
하지만 너도, 나도 알았잖아
괜히 비명을 지를 사람 아니었다는 걸

그 여자의 반쪽과 사라진 건 죄다 검붉은 빛의 무언가였어

밤새 울음소리가 들려

아무도 그녀의 반쪽을 찾아주지 않나 봐

몸에 그려 넣은 나이테는 너의 삶을 나타내는 건지 죽음을 나타낸 건지 알 수 없었다.

너는 종종 도망치기 위해 그루터기를 찾았고, 모종삽으로 주위를 파내며 불안을 덜었다.

너 자신도 언제 그루터기가 될지 모른다며 막히는 목소리로 나를 내쫓았다.

너의 삶과 죽음이 늘어나는 것만 방관할 뿐이었다.

아무것도 너를 구할 수 없을 거라고 생각했다.

멸망하는 생명의 호흡이 발을 걸어 넘어뜨립니다.

결코 되돌아오지 못할 순례자의 기도.

나사렛을 살려 주신 것처럼 살려줄 수 있겠나요- 발목을 붙잡지만, 촛농은 벌써 끝을 알립니다.

퇴화한 혀끝은 발음조차 되지 않습니다.

-마지막으로하고싶은말이있나요-

-아아

단말마처럼 들린 그것은 단어였을지, 이름이었을지, 굳어버린 혀만 알 수 있는 유언이었습니다.

우린 어리기 때문에, 어렸기 때문에, 그 말이 나의 모든 죄목을 덮어줄 것 같았다.

미성숙은 무적이 되어 나를 감싸고, 죄책감을 중화시켜 무화과를 맛보게 만들었다.

너와 나는 어렸기 때문에, 그게 최선이었어.

머릿속으로 수백 번 재생되는 상영관은 텅 빈 채 아무도 보지 않는다.

미성숙 2024

개요 드라마 100분

개봉 2024.03.02.

출연 영원, 여름, 부재

평점 0.0

윤회하지 못하게 된 자와 사랑에 빠졌던 것은 일생의 죄라고 생각하라 했다.

떠돌고 떠돌아 나아갈 곳도 돌아갈 곳도 없는 나에게, 뜨겁고 차갑고 아프고 웃음이 나오는 무언가를 알려준 이는 그가 처음이었기에.

나의 수명을 토막 내어서라도 그의 끝은 내가 내리라 마음먹었다.

내 수명조차 그리 길지 않았거늘.

시름시름 앓으며 원망 어린 눈초리로 나를 가득 담은 그의 표정이 퇴마사의 부적 같았다.

나의 무언가였던 그는, 윤회하고 싶지 않다고 빌었다.

내가 없는 곳에서.

폐부에는 물들지 않은 유일한 꽃잎을 감춰뒀어.

들숨과 날숨이 서로를 지나쳐 나갈 때마다 알 수 없는 아카시아 향기가 났던 건 아마 감춰둔 그것 때문이 아닐까.

전에는 눈꺼풀 밑에 감췄는데, 들켜버려서 외눈박이가 되어 버렸어.

또 이전에는 손톱 밑에 감췄는데, 그것도 들켜버렸고 이제야 겨우 손톱이 다 자라났어.

감추고, 감추고, 또 감춰야 하는 그 꽃잎은 축축하고 눅진한 점막을 거쳐 나의 폐부로 통했어.

이번에도 들킨다면, 아마 나의 마지막이 될 거야.

아무래도 가장 깊숙한 곳에 숨겼으니 찾으려면 가장 깊이 파헤쳐야 하잖아.

순애로 곱게 포장된 아이의 마음을 파도 위로 멀리 던졌다

포물선을 그리며 떨어진 곳에는 소용돌이가 생기고

화야, 화야, ㅎ, 화야, ㅎㅘ,

울음소리 같은 메아리

가시나무는 시들었고

겨우살이의 탄생

죽어버린 건 백색이 되어 버렸다.

푸른빛으로 빛나던 넓은 바다도, 귓가에 스치던 음산한 청록색의 바람도, 무용한 것들이 되어 버린 조각들의 흔적을 주웠다.

설탕을 가득 담아 녹였다.

조각을 넣고, 젓고, 젓고,

눅진하고 달달하게 만들어서 조각의 청을 만들었다.

이름이 기억나지 않는 A가 생각날 때마다 한잔씩 희석해 마셨다.

잠에 들면 꿈에서 A가 나왔다.

날개 달린 A가.

그어진 단면을 입에 담으면 퍼지는 따뜻한 맛이 눈물을 유발했다.

얼마나 그었는지 알 수 없을 정도로 난도질 된 살갗에 눈을 가져다 대고 조용히 눈을 감으면 그녀의 심장이 팔에 달린 것처럼 느껴졌다.

유독, 단면이 깊었고 비명은 길었다.

함께 골랐던 별의 수명이 다했던 날이었다.

방 한구석에는 아직도 검은 장미가 만개해 있다.
사랑으로 둔갑한 악마의 꽃은
답게 이중적인 꽃말로 유혹한다.

그곳에 코를 깊게 박고 들이마시면,
맡으면 안 될 향기가 뇌수까지 파고든다.

붉은 장미를 받으면 먹으로 칠했다.
너에게 받은 것이라, 생각하고 싶었다.

여름의 정상에 서서

청춘이나 첫사랑 같은 그런 단어들은 항상 여름과 어우러져 읊어졌다. 어릴 때는 아무 생각 없이 나도 여름 = 첫사랑, 청춘이라고 생각했다. 최근에서야 왜 그런 애틋한 감정은 항상 여름으로 시작될까 의문을 가졌다. 따지고 보면 나의 뒤늦은 청춘은 차갑고 시린 겨울에 가득했고, 첫사랑의 시작은 벚꽃이 떨어져 모의고사를 가득 보던 봄날이었는데. 항상 여름에는 집 밖으로 나갈 생각조차 없고 수영장이나 물놀이라면 질색하는 내가 여름을 좋아할 리가 없다. 되려 늘어지는 뜨거운 방 안에서 추락하는 눈을 볼 수 있는 겨울을 좋아하면 모를까.

여름의 나는 어딘가 불완전했고, 그와 동시에 지나치게 사랑이 넘쳤으며, 지나친 습도에 잠식이라도 된 건지 여름이라는 계절에 중독되어 마치 스스로 세기의 사랑을 하는 것 같은 착각을 가져다줬다.

유치원 때부터 고등학교 1학년 때까지 지나가는 누군

가를 다 사랑했다. 귀엽게 생겼으니 좋아하고, 예쁘니 좋아하고, 맛있는 음식이니 좋아하고, 듣기 좋으니 좋아하는. 헤픈 나의 정과 감정이 범람하게 되고 그것을 맥없이 모두에게 표출했을 때, 돌아오는 것이 어긋난 사랑과 나 말고도 많은 그들의 관계인 것을 알았을 때. 내가 행동했던 것과 나눴던 것들이 사랑의 착각임을 알았다.

그저 사그라들기 쉬운 소유욕이었을 뿐이라는 걸.

어쩌면 나는 사랑이라는 감정이 어려워서 그때 사랑한다고 만나는 또래의 아이들이 신기하고 부러웠던 것 같다. 연애라는 걸 하며 울고, 웃고, 화내며 다투다가 다시 사랑한다며 붙잡는 그 행위가 십 대의 나에게는 신기하고 묘하게 느껴졌다. 솔직한 감정을 내밀 수 있는 상대가 가장 가까운 위치에 있다는 그 점이 부러웠던 것 같다.

꾸준히 누군가를 좋아했다. 좋아하는 척했다. 그렇게 계속 누군가를 생각하고 연애하다 보면 나도 그들처럼 감정에 능숙하고 사랑을 쉽게, 성숙하게 할 수 있는 사람이 되지 않을까 싶은 생각이었다.

그리고 겨울날의 나는 지나치게 사람을 생각하면서

솔직하지 못한 자는 멍청한 결말밖에 볼 수 없다는 걸 깨달았다.

2010년대 어떤 여름은 너무 많은 감정을 깨닫고 지나치게 많은 사람을 만나며 생전 처음 느껴보는 몸 상태도 겪었던 아홉수 같은 날이었다.

하지만 단 하루도 그때의 나를 후회한 적은 없었다.

솔직해지는 방법과 내치는 방법, 가리는 방법, 숨기는 방법, 성숙과 관련된 모든 방법을 그 여름에 깨달았다.

그래서 내가 가장 싫어했던 여름에 겪은 나의 청춘과 첫사랑은 작년까지도 나와 작용, 반작용하며 여름이 나의 죽고 못 사는 계절인 것처럼 느껴진 게 분명하다.

아마 당분간은 사랑을 하지 못할 것 같다고 생각했다. 애틋함이 동반된 사랑은 어렵고, 나의 거짓된 솔직함이 아직 고쳐지지 않았기 때문에. 또, 이제는 무뎌지게 된 사랑이라는 감정이 느껴지지 않기 때문에.

여름은 계속해서 돌아오고 점점 길어지기 때문에, 오랜 기간 한 사람을 가까이에 두면 모든 사계절을 그 한 사람이 덮어버려서 구제 불능이 되어 버린다.

끈적이는 여름이 오면 기대하게 된다.

그때 그 여름에 느꼈던 감정을 느낄 수 있을까.

부패하지 않는 방법

시골과 도시의 경계인 지역 속, 교도소 영화에 나올 법한 작은 여중에 다녔던 14살. 친구들 사이에서는 자해가 유행이었다. 별, 하트, 이니셜 등등. 몸이 낙서장이라도 된 것처럼 30명 학생 중 20명은 피범벅이 된 상태로 팔에 편지를 썼다.

반에서는 고철 냄새가 끊일 생각을 하지 않았으며, 손등에서 작게 베였던 칼집은 점차 전신으로 번져나갔다. 한 손에는 칼을 들고, 한 손에는 별 모양의 피를 흘리면서 반 아이들은 전부 웃고 있었다.

13살에서 14살로 향하는 그 기점은 내가 처음으로 죽음에 대해 생각했던 시기였다. 그 당시 만났던 아이들이 좋은 아이들이라고 말할 수는 없지만, 아무도 몰랐던 나의 위태로운 목숨을 눈물과 분노로 잡아줬던 정이 많은 아이였다. 그들이 화내며 나를 타박하던 그 순간이 그렇게 나쁘지는 않았던 걸로 기억한다.

학교는 대충 그런 분위기였다. 6년을 봐 오던 친구들과 떨어지고, 처음 보는 친구들이 바글거리는 반에서 유행이 시작되면 따르면서 친구를 만드는.

죽음을 이미 생각하던 나에게 그런 분위기는 아슬하게 위태로우면서 안정적이었고, 그건 반에 있는 20명의 아이도 마찬가지였을 거라고 생각한다.

옆자리에 앉았던 짝꿍은 수업을 열심히 듣다가 문득 조용해져서 옆을 보면, 아니나 다를까 어떤 모양의 칼집을 새길지 이리저리 긁고 있었다. -왜 긁는 거냐- 물어보면 싱긋 웃으며 줄을 하나 더 그을 뿐이었다.

정이 넘치다 못해 오지랖이 취미였던 그 어린 나이의 나는 붕대를 감고 피가 고여 있는 아이들을 보면 항상 왜 그러는 거냐고 물어봤다. 이유가 궁금했다. 걱정도 됐고, 반에서 나는 고철 냄새가 이제 좀 멎을 때 되지 않았나 싶기도 했다. 짝꿍은 손등에 별을 만들어서 가면 소꿉놀이처럼 우습게 사귀는 남자 친구가 울상을 지으며 연고를 발라 주고 혼내며 걱정해 주는 걸로 사랑받고 있음을 느낄 수 있어서 좋다고 했다.

한 달 정도 유행했던 자해 열풍은 사그라들었고, 짝꿍의 손등에도 더 이상 붉은색의 별이 뜨지 않았다. 희미하게 아문 별만 남아 있었다.

뒤늦게 내가 그 유행을 따라 했던 건 단순 호기심이

었고, 절박한 마음이 일부 담겨 있었기 때문이리라. 나의 정신세계와 가치관이 맞는 친구를 찾기 어려웠으며, 모든 곳에서의 구속이 최고치였기 때문에, 참지 못해 충동적으로 따라 했던 것 같다. 당장 팔 하나를 자를 기세로 호기롭게 연장 하나를 꺼내 놓고는, 지독하게 맡았던 고철 냄새와 고이게 될 몸을 생각하니 멈칫한 채 손등에 얇게 긋고, 끝이었다. 종이에 베였다고 해도 믿을 법한 작은 흠집이었다. 그리고 더 무거워지는 마음과 터질 것처럼 뛰는 심장에 그 이후로 나의 몸에 내가 직접 손을 댄 적은 없었다.

14살에 겪었던 그 열풍은 10년이 지난 지금도 문득 문득 생각이 난다. 졸업할 때 들었던 별 모양 손등의 짝꿍이 자퇴했다는 얘기를 들어서 그런 것 같기도. 그렇게 고철 냄새를 가득 묻혔던 작고 여린 아이들은 아직 그때의 흔적들이 남아 있을까 생각했다. 아마 그대 그 반에서 가장 강한 사람은, 절반만 위태로웠던 내가 아니었을까.

무심코 손등을 쓰다듬는 날이 늘어났다.

필명도 책의 내용도 전부 신탁해 버렸습니다.

2020년의 그 시기에는 자아도 용기도 없던 시기였기 때문에.

가끔은 통증의 사랑이 고플 때도 있더군요.

그렇다고 아픈 사랑만 하지는 않길 바랍니다.

유독 추웠던 겨울의 끝자락에서.